COLLECTION L'APPEL DES MOTS
CRÉÉE PAR ROBBERT FORTIN
ET DIRIGÉE PAR MARTINE AUDET

L'Hexagone bénéficie du soutien de la Société de développement des entreprises culturelles du Québec (SODEC) pour son programme d'édition.

Gouvernement du Québec – Programme de crédit d'impôt pour l'édition de livres – Gestion SODEC.

Nous reconnaissons l'aide financière du gouvernement du Canada par l'entremise du Programme d'aide au développement de l'industrie de l'édition (PADIÉ) pour nos activités d'édition.

Nous remercions le Conseil des Arts du Canada de l'aide accordée à notre programme de publication.

CELLULE ESPERANZA

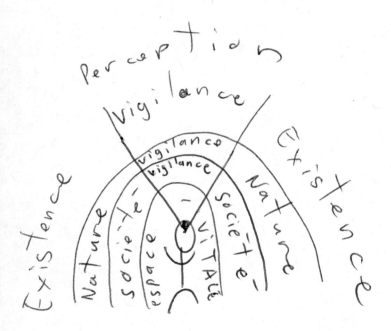

Le 10 mai 2012 – Montréal, QUÉBEC

DANNY PLOURDE

cellule esperanza

(n'existe pas sans nous)

Mon cher camarade, Benoît,
à qui j'offre ces sulfures
de paroles opaques.
Pour que ça gicle
dans l'époque
PAIX

⬢ l'HEXAGONE
Une compagnie de Quebecor Media

Danny Plourde

Éditions de l'Hexagone
Groupe Ville-Marie Littérature inc.
Une compagnie de Quebecor Media
1010, rue de La Gauchetière Est
Montréal (Québec) H2L 2N5
Tél.: 514 523-1182
Téléc.: 514 282-7530
Courriel: vml@sogides.com

Maquette de la couverture: Anne Bérubé
En couverture: © Shawn Cotton, *Cellule Esperanza*.
Illustrations intérieures: Shawn Cotton

Catalogage avant publication de Bibliothèque et Archives nationales
du Québec et Bibliothèque et Archives Canada

Plourde, Danny, 1981-
Cellule esperanza
(Collection L'appel des mots)
Poèmes.
ISBN 978-2-89006-816-2
I. Titre. II. Collection.
PS8631.L69C44 2008   C841'.6   C2008-941301-6
PS9631.L69C44 2008

DISTRIBUTEURS EXCLUSIFS:
MESSAGERIES ADP*
2315, rue de la Province
Longueuil, Québec J4G 1G4
Tél.: 450 640-1237
Télécopieur: 450 674-6237
* filiale du Groupe Sogides inc.,
filiale de Quebecor Media inc.

• Pour l'Europe:
Librairie du Québec / DNM
30, rue Gay-Lussac
75005 Paris
Tél.: 01 43 54 49 02
Téléc.: 01 43 54 39 15
Courriel: direction@librairieduquebec.fr
Site internet: www.librairieduquebec.fr

Dépôt légal: 2e trimestre 2009
Bibliothèque et Archives nationales du Québec, 2009
Bibliothèque et Archives Canada

à feu Robbert Fortin
ami et manitou des vers

les mains coupées du Désespoir
sur le mur comme des fleurs sombres
où donc ton front d'étoile et d'ombre
mes yeux s'ouvrent-ils pour le voir

ALAIN GRANDBOIS,
Poèmes d'Hankéou

liminaire

le flocon unique   seul   ce n'est rien   vulgaire
buvard mêlé à l'arôme des villes   pourtant ça tra-
verse le temps l'espace   un flocon   l'œuvre d'un
mouvement de saisons d'une traversée d'humeurs
une chute   dans la tempête   chaque flocon porte
son propre déclin   des arbres s'arquent cassent
sous son poids   d'autres poussières viennent les
recouvrir   de la broussaille en dessous   des souvenirs des erreurs   des lumières braquées sur l'avenir

me sens nombreux mais insuffisant   il arrive que
ne sache pas combien il faut être   regarde aux
alentours et éprouve l'abandon   écrire le retrait la
volte-face   écrire ma disparition sans affolement
comment rester crédible   entre l'inquiétude et
l'indifférence le poème est une fêlure   une bête
qui boite sortie des brumes   vers vous la trajectoire
cet attentat au souffle   se colle à la peau   s'incruste sur la rétine

des amis tombent des vies naissent   les voyages se
succèdent comme autant de tentatives d'oubli   les
phrases se déconstruisent se cherchent une issue
le cynisme règne banalise l'effort du nombre   les
idées perdent le nord s'accrochent aux poèmes leur
coupent les ailes   colère désespoir dégoût

beaucoup de souffrances   malgré tout l'amour du
monde   grand désir d'évasion

calme trop calme   le silence n'a pas d'odeur
terrible   des flocons oui des flocons ici et là fon-
dent sur l'asphalte   il fait froid   l'accalmie au
cœur   pense à demain qui abdique   ça part de
soi   l'urgence

le poème un pari cet   espoir   ne m'a jamais dit où
aller   alors vais vers vous avec de la poigne en cellule
retenue éparpillée   le chagrin une révolte avortée
à bout portant   l'harmonica se désaccorde   le
morne au lieu de nous unir   trop souvent   isole
dans le confort des drames

une fois ensemble   les astres   l'homme de tous
les siècles   quand il met un pied devant l'autre
les arbres en parlent entre eux

(marché des poussières)

ce dont nous désespérons, c'est de nous-mêmes

PAUL CHAMBERLAND

avons baissé les bras en gémissant
arbres rares   *baissé les bras et le reste*

regard tête queue   des épinettes en travers de la
gorge   une pluie bourrée d'ombres sur nos âmes
vives   le glaçon s'est brisé   nos os nos rêves Ina-
chevés   bientôt morts en paix à l'Abri dans nos cellules de papier   morfondus   loin de tout danger
de toute Souffrance   loin de tout Espoir

revenu les mains vides   un feu de forêt
dans la bouche   me suis brûlé la luette

renaître auprès des miens embrasser l'hiver avec la
langue   faire des anges dans la neige en fermant
les yeux   cesser de maudire ce pays de pas d'pays le
mot peuple   cette culture de pas d'culture   le
mot nous   les mots nous-ne-sommes-rien-d'autre-
qu'un-coup-de-vent-dans-la-tempête   cesser de répéter   partout Ailleurs c'est meilleur parce que partout Ailleurs c'est tellement pire   debout tenu
ébranlé jusqu'à la fermeture des soirs

cœur poubelle de chambre bourrée d'écla-
boussures   pure paix nos Afflictions

avons laissé le vent des villes violées à ciel ouvert souf-
fler sommeil sur nos nuques de bronze   confrontés
à la Catastrophe avons refusé l'Urgence   suffoca-
tions successives éloge de l'Impuissance   l'Azur volé
aux voyous rêveurs et gribouillé en des gaz glauques
négligents   n'avons rien voulu Admettre   pas
même nos erreurs ou les météores de sel au-dessus de
nos crânes   effluve d'or noir chaudes coulées sur
corps difformes   l'Inertie fut raisonnable et le
Spectacle obligatoire

je n'ai rien fait   la poésie Insuffisante
pour survivre   de belles idées emballées dans du styro-
mousse

remettre à bientôt demain plus tard un jour   la
prochaine fois la bonne   il n'y a pas eu d'autre fois
aurais aimé là traverser nu la rivière   balancer mon
corps dans ses remous bruyants   rejoindre ressac
après tout la rivière avait raison   le silence n'exis-
tait pas   là me perdre dans des ruelles aux raccour-
cis lunaires   courir patois boiteux bouche bée devant mendiants et jardins acides où maintes odeurs
de cuisines familiales auraient pu me rendre heureux
n'ai pas cherché d'étoiles   on m'a dit qu'elles
étaient devenues rares et que c'était normal

au scandale à l'Injustice au meurtre
pour si peu que nous étions   avons crié au secours
svp aidez-nous à redevenir Amoureux

se Battre il fallait se Battre   bâtards blêmes
avant de nous suspendre à nos pintes de bière bour-
geoise   longues nuits grisâtres à nous arracher des
lambeaux de chair   n'en pouvions plus d'être les
témoins de notre propre trépas sans pouvoir témoi-
gner   ou pire   épouvantés à l'idée d'un piètre
témoignage ne servant personne   étions poussières d'histoire ordinaire   nos regards soiffards aux
grands domaines décevants libéraient une hargne
maladroite et plaquée   à peine épargnés par
l'Ivresse séculaire   à notre manière nous marmon-
nions   trop tard trop   TARD

quand j'ai compris que je ne pourrais
jamais changer le monde   j'étais mort à souhait

l'orage lacrymos l'écorchure ma carcasse   Combats
perdus incrustés aux couches de mes cellules réti-
niennes   me suis déclaré Vaincu couché endormi
revenu branches tombantes avec nœud au cœur
mes patins accrochés à la tête d'un clou sortie du mur
de plus en plus Amer envers ma tribu Défaite   ser-
rage de main et sourire violet   si seulement avais su
où trouver de grands Conflits   ceux dans lesquels
aurais aimé mourir radieux   me Battre de tout
mon sang jusqu'à m'en déchirer l'aorte

Disparaître cesser de Souffrir   dire
pardon je n'ai plus de monnaie   loin de nous l'idée de
cultiver des rizières

le temps manquait pour réparer nos malheurs
vulnérables vermisseaux collés à la moelle épinière
moineaux bruns sans nids privés d'honneurs
avons érigé des murs honteux que seuls objets futi-
les et rumeurs de représailles ont pu franchir   la
sève volcan entre nos doigts rongés   enterrés vifs
sous des cendres Irradiées   nous   Immunisés
contre les sans-abri qui rêvaient d'eau de source à nos
portes   rien   du sable bitumineux dans des nuages
d'occasion

je me suis cousu des ailes avec de la
broche et je suis tombé sur mes deux genoux   l'aube froide
m'a recouvert d'un baume diaphane

faible tellement fort   ce jour-là   suis allé au marché acheter un morceau de gingembre pour me
concocter une soupe à l'eau et au gingembre   personne n'a pu comprendre pourquoi étais si triste de
marcher en sifflotant sur le trottoir le Soleil dans le
dos   à part peut-être cette vieille femme qu'ai croi-
sée   elle vivait dans la rue et avait un joli début de
barbe blanche   lui ai donné mon bout de gingembre et me suis cuisiné une soupe à l'eau

nous tragiques auditeurs accoutumés
aux Disparitions *évachés ou en chien de fusil au bout de*
l'Impasse

des graffitis sur le rempart de la Complaisance   des
pseudonymes toujours   vide le baluchon contre
Désespoir Impuissance   un je t'aime ma belle mal
gravé au canif sur une clôture métallique   des mas-
sacres chantés en sourdine   petits Carnages de tous
les temps dans des pays sans pétrole   dans des pays
sans banderole   ici même   oubliés Dehors
que pouvions-nous faire à part grogner comme des
écureuils accros aux miettes multiples   rien à réali-
ser à écrire   la fin des Illusions la Paralysie le Dégoût   let's shut the fuck up   février s'en vient
frapper nos faces fanées

j'ai fixé le ciel le blanc de ses yeux   sa
coiffure funèbre déposait du givre sur les corniches   l'hiver

m'enfuir féroce me fondre   foule Immense
foule fournaise et fourrière   là où sommes tisons et
races de souche   un pied devant l'autre   là
le goût de ne plus prendre racine amasser poussière
de regret   à quoi bon l'atteinte de l'horizon   suis
sorti par la porte d'en arrière comme un voleur d'épi-
ces précieuses   emporté par la tourmente les soucis
de l'Exil   ai abouti aux barricades voulu les rompre brutal   dérober le jour   m'y réchauffer les
pieds

*jeunes et poètes   le vingt et unième
siècle nous accueillait les jambes ouvertes   belle promesse
de femme ivrogne*

de l'onguent made in China pour les Astres   avons
été bernés bafoués réduits au mutisme cailloux jon-
chant la grève   n'avons plus su sur quoi bûcher
pour expier nos frustrations atomiques   respirer le
miasme de nos débarras crâniens   balayures de
morts dans chaque cellule   il aurait fallu enjamber
les champs de maïs main dans la main avec le vingt et
unième siècle sauter au ralenti devant un arc-en-
ciel pour se faire prendre en photo   clic voici le
mémorable moment d'une époque pleine d'espoir
clic   un nouveau président   clic   de la poésie
avec du fer   le vingt et unième siècle aussi flam-
boyant qu'un nourrisson enduit d'essence

je suis allé au bout de moi-même avec
un bout d'ici   partout où mes pas se traînaient   j'avais
besoin de nous

ai cherché la Saint-Jean-Baptiste dans des pays sans
tourtières   remis à sa place ce sablier de mon peuple pas d'peuple   mes muscles ont lâché quand de-
vais expliquer aux passantes pressées de qui étais le
fils et le frère et l'ami   à quoi bon me Battre pour
exister si suis seul Inutile une goutte de sang pognée
au cœur crispé   me suis accoudé au comptoir pour
une sixième pinte de noire   négligé ceux pour qui
m'évertuais à écrire   malgré les mille et deux tentatives d'Oubli ai fini par rechuter dans l'Espoir
ma fiole en sueur de balafré confondue à l'écume du
verre

manies enracinées   nos cellules forte-
resses   avons choisi de ne pas choisir comme d'autres choi-
sissent l'Indifférence

ne voulions pas d'ennemis   nous les craignions
bois d'enfer le visage farci de furoncles   cherchions
plutôt   le Consensus le Suicide Inavouable de l'As-
sentiment Uniforme   les pépites d'or de la Quiétude malsaine   ce temple à grande surface le plus
proche   une solution passagère à la pléthore de
Crises   avons voulu goûter l'Aisance   sucer le
crachat des crapauds   posséder le câble la souffleu-
se de l'année décrocher un vrai boulot   nous ini-
tier à l'Égoïsme stylisé   avoir une marge de crédit
une femme à qui il serait bon de tout promettre
sauf un pays   coupables de je-m'en-foutisme chic
d'Apathie fashion   il fallait vomir l'humeur de nos
excès dans le creux de nos paumes   nous effoirés
flasques dans nos sofas Assignés

des poussières
nous toujours en mouvement
prenant conscience de nous-mêmes
une fois enfuis

portés par l'effort la misère
le blanc le bleu de l'hiver
le flegme des vents

nous des arbres rares
qui ont dû s'arquer
ou se briser en deux

(simple indicatif)

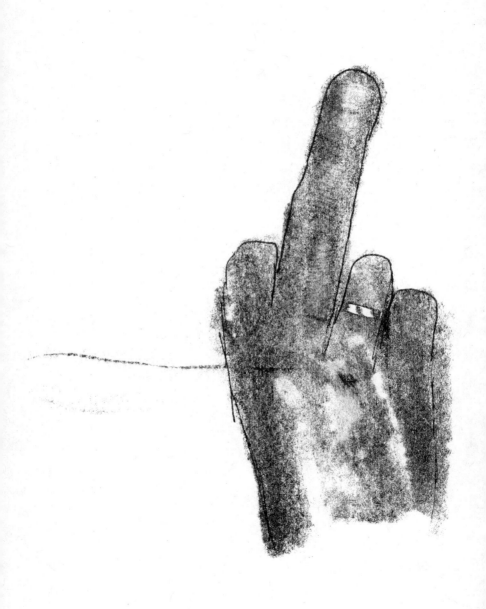

ma pauvre poésie en images de pauvres
avec tes efforts les yeux sortis de l'histoire

GASTON MIRON

ne touchons pas plus loin que le bout de nos doigts
nous réceptacles à fourrer d'Immondices Indus-
trielles   recyclons l'ennui du monde   barbares à
nos heures de gloire nous convoitons l'Espace vital
de nos semblables depuis que nous n'avons plus d'Espace en commun   Infortunés acculés au pied du
parapet   nos attentes limitées à l'enflure oignons
pourpres au gonflement poitrines baroques   langue nous avalée langue Abdomen   feu nous la langue vulgaire organe mou nous léchons la moindre
larme   disons-le à voix haute   nous avons quand
même besoin d'aimer   nous qui haïssons à mort

corps prison nomade corps de privations
de Dégénérescence et d'exploits Bestiaux   Décharges Inven-
taire de Blessures

ai sentiment engourdi   mon cœur va me singer
cesser de se Battre   me vois mourant dans un taxi
en essayant d'atteindre l'Urgence   mort avant
d'avoir écrit mon dernier poème   mort radieux
dans un essai de survivre   mon cœur Affaibli à force de me fendre le cul en quatre à partager la poésie
avec des semblables qui s'en câlissent parce qu'ils ont
d'autres pea soup à fouetter   des gens pourtant
ben corrects le sourire aux lèvres et un peu de bave
au menton   me revois assis sur mon balcon frais
peint en train d'écouter l'automne

*flocons de magnésium sur mes épaules
qui portent et supportent l'époque   j'ai un papillon noc-
turne dans les cheveux*

crâne nous cul-de-sac   vagissons en vain   plainte
nous pathétique hurlement encabané sous le dogme
du marché   Annulons la frappe   crâne dur nous
crâne d'Injures et de Lamentations   nos cultures
éphémères et la boucane bleue d'une femme enflam-
mée dans l'hiver   plaidons Coupables nous crâne
cachot crâne caisse de guitare   nous baraque de
carton moite   nous ne percevons la grandeur de
l'Existence qu'en deçà de nos propres semelles
trop petits trop peureux et pauvres trop   esseulés

               père nous crâne siège social des Éblouis-
sements   la Désolation pour seule amie dans nos shops à
bois

me suis creusé charognard un trou dans un squelette
privilège réservé d'habitude à ceux qui ont encore
des griffes   comment par les temps qui courent
être intègre dites-le-moi   murmurez-le-moi sans
perdre de vue   il nous faut le vivre d'une belle
façon   guère limité à mon pays de pas d'pays
on pousse l'Invasion jusqu'à mon Espace vital mon
castel de gènes manipulables   me désintègre à chaque
respir   et le cantouque de l'Abandon me terrorise
à chaque vesprée de foudres

j'apprends progressivement le rampage
sous les barbelés   parcourir la terre entre métro et oreiller

dieu merci il nous reste le cul   l'effluve fleuve des
fentes brûlantes l'Asphalte reine des va-et-vient
tant de lieux ravagés d'orifices fabuleux   cette ba-
lade morbide du maringouin pas tuable bourdonnant
à l'oreille   fantasmes fastes défilant vitesse-lumière
devant nos orbites   images de milliards de trous
onctueux dans lesquels blâmables nous rêvons en se-
cret de nous enfoncer renfoncer   nous des trous
des milliards de trous Libre-service qui gagnons nos
vies par le Spectacle triste et bâclé de notre stricte
utilité mécanique

> *dieu merci   sur les parois cathodiques
> de nos demeures souterraines viennent se coller des mouches
> pour nous tenir compagnie*

nos premiers ministres et animateurs de téléjournaux
sportifs commandités et PDG   tous ces braves gens
domestiques font la pluie et le beau temps   eux bien
soignés tissés serrés   aucune pulsion   refuse d'y
croire   ce ne sont pas des hommes ordinaires em-
preints du démon véniel l'Instinct du pays de pas
d'pays dans le bas du ventre   loin de puiser pixels
d'épouses Impossibles dans cette Industrie de la
branlette-en-cachette qui génère des profits presque
comparables à ceux de l'Armement planétaire

je fais parfois de longs détours pour de-
mander pardon au nom des autres   ça ne m'excuse pas

chancre nous chars cadavre   sortons les guitares-
pianos et Défrichons ce siècle sans Espoir ni Désir
qu'on baise nos trous qu'on les lèche les sodomise
nous ne ressentons plus rien   c'est la vie allégori-
que   celle qu'on nous enseigne aux heures de grande
écoute   nous Lâcheté salutaire   nous chantons
en chœur le Désenchantement   qu'on nous par-
donne   nous avons tout vu tout entendu   nous
corps Décrissé par l'Abus des Jouissances   l'Abandon prescrit à chaque repas de manger mou afin de
soulager nos troubles de conscience généalogique

feu corps fragile nous marchons le cœur
crasse sans savoir vers

au frontibus au sexibus   un autre dernier verre
avant trois heures et la fin des temps   si suis chanceux vais le boire une fois pour toutes   ça dépend
de cette serveuse souhaitant être ailleurs   drame
dans ses gestes reptiles   ses études payées grâce
aux pourboires que lui procure son corps leurre à rat
des champs   elle me méprise du mieux qu'elle
peut   avec humanité elle me permet chacune de
mes soûleries jusqu'au tréfonds de l'enfer   ce n'est
pas de ses affaires la solitude qui sollicite une présence   reviens souvent dans les parages le porte-
feuille débordant de fourrures   ici suis un héros
national

déjà demain un miroir de poche entre les
mains   gisant près du paysage   je me cherche une raison
d'être

corps nous chef-d'œuvre des médecines festives
nous feu Assujetti aux placebos Immortels   accu-
mulons Avares les traces de l'Ivresse tout en nous ef-
forçant de taire notre besoin de Beugler   NOUS
EXISTONS   corps nous kérosène brocante de cica-
trices et de Souffrances Existentielles   nous   fi-
gurine au cœur de plomb nous paradons le pied pesant
pour ne pas moisir dans les bras d'un arbre Atrophié
ou fondre en larmes sous la colère justifiée du Soleil

*cellule astasie corps sperme astre mort en
dedans nous grisâtre corps sang caillé   bleu cendre nous
des algues   mêlées à la mousse des berges*

me sens si malade   l'hôpital Insalubre est ma syna-
gogue ma mosquée mon église déserte   y passe
mes longs jours fériés   ma Carte Soleil ma seule
fierté   mon plum pudding mon foie gras   mon
trône à toute épreuve   veux un Docteur Welby
dans mon salon   me l'encagethoraxiquer et l'entendre siffler la bonne aventure   un docteur à moi
juste à moi à mon service à mon mérite pour prendre
soin de mon mal-être   exige bénéficier de ses ma-
mours exotiques quand bon me semble

je lèche et relèche les orteils de Sa Majesté
sans jamais l'avoir voulu   ça jette de l'eau sur le feu

peau culte lieu spolié par la Peur   temps perdu travail beat cardiaque   penser le monde autrement
qu'avec les outils   de calvaire   que nos tribus Infail-
libles nous forcent à utiliser   homme rentable femme
vendable pour bébé bétail   répéter ce que d'autres
ont répété des milliers de fois   parcourir les alentours d'un regard forcé à l'ouverture sans devenir
Aveugle devant Souffrances et Injustices   Peur de
la Peur de Résister au CHANTAGE de la fin de l'histoire au BLUFF du Désespoir au RACKET du Désen-
gagement

nous corps territoire à perte de vue
corps carcajou feu contenu   automates objets de tortures
et de caprices

brave l'aube l'œil vitreux   n'ose plus debout Déso-
béir   le malaise me pogne aux genoux   autour
de moi du monde qui meurt d'envie de se baigner
tout nu dans le sirop d'érable à la journée longue
jusqu'à l'overdose   s'acheter des chandails I Love
Canada dans les boutiques souvenirs tenues par des
étrangers   ne veux pas crever leur bulle leurs yeux
avec mes pouces   préfère continuer ma route
pénible et belle à la fois   l'œil agrippé à la petite
roche que ma botte tapote du pied

        *il arrive que je ne sache pas combien il
faut être ou à qui sont tous ces numéros de téléphone qui
traînent dans ma tête*

Confinés silencieux aux cellules full equip   nous
assistons au téléroman quétaine de notre Anéantis-
sement   corps limité envahi   des légions de chi-
mères guerroient entre elles s'auréolent d'humains
Abandonnés à leur humanitude   corps mouton
père mouton fier mouton contribuable nous laissons
nos Espoirs se diriger vers l'Abattoir   fils pauvre
mort de rêve un peu avant la dernière neige

    *trop vouloir d'Avenir trop vouloir chan-
ger son fusil d'épaule   c'est plus fort que nous   corps
nous cobaye et brisure d'échine*

consonnes vertes de forêts laissées-pour-compte
bande blanche blessante pour le dur grésil guérisseur
la trêve dans les champs de semence modifiée
bien sûr l'Azur voyelle pour le rien du ciel l'eau fraî-
che de nos milliers de rivières polluées   la grande
épinette transperce le tableau avec ses branches toutes
croches   surprenantes et humaines à leur façon
un lys dans le coin en haut à gauche qui s'illumine en
jaune comme une vieille dent contre l'histoire

*j'exige une chambre décente où il m'est
possible de baiser sans me soucier du sort du monde*

souffle corps nous faible voix au monde   grogne
Intérieure rogne droit au cœur   nous voulons reconquérir l'Espace c'est-à-dire partout où nous allons
Agir maintenant corps nous mouvement   squat-
tons Dépotoirs d'époque avec des mots de la sueur et
du sang de pigeon meurtri   FEU   ce monde que
nous ne voulons plus servir   corps nous Asphyxié
FEU   l'expression limitée au jargon d'usage lors
de l'achat de telle ou telle babiole   corps nous le
chant réduit à un vote hypocrite et au pourcentage
des pictogrammes

nous sommes tous en train de mourir
radieux car quoi qu'on en pense   nous sommes vivants

aujourd'hui veux me reposer pour toujours jusqu'à
midi   ne plus parcourir mes pourriels   refuser
d'aider une pauvre fille du Cameroun dont le père
cherche à blanchir l'argent de ses faux diamants
rester chez nous   le chez nous de mon propriétaire
aujourd'hui veux être au centre de rien pantoute
être oublié mis de côté   aujourd'hui il n'y a rien de
spécial c'est le banal qui l'emporte   aimerais un
bon son sale venu du Lac-Saint-Jean   me revoir
danser sur le scalp d'un vallon à Saint-Victor-de-
Beauce aux abords du cimetière

ah là-là l'Amérique Ardente   un der-
nier p'tit reel pour refaire le pays sur un air de Victoire

guerres au corps nous cellule Assiégée   nous utili-
sons le verbe pour ne blesser personne nous défendre
des Insectes qui la nuit s'Immiscent dans nos draps
anglais   la poésie art martial   tracer au pinceau
une ressemblance avec nos Intuitions et Vigilances le
poème enseigne la maîtrise de soi la Bourrasque dans
la gueule et l'ouverture des paumes   cœur nous
rafale folle d'Amour   nous demandons à respirer
Librement

parce que le respir est à la source de tou-
tes les utopies   bardons-nous de vent

nous des bêtes atteintes
s'entre-dévorant
pour ne pas mourir
de rêve

nous confiance perdue
laissés à nous-mêmes

nos pieds nus
dans la Morve

(cités franches)

ils n'ont pas compris que j'avais mal à l'île
— avides d'un accord commun —
poésie à l'état de terre

FERNANDO PESSOA

*nous arpentons le chaud asphalte un
jour de tonnerre furieux avec l'œil des chiens de ruisseaux*

ennuyante trop dépouille la vie loin du panthéon des
personnalités publiques   suffira du minimum
des OGM le sang Internet dans l'âme une télévision
HD pour avoir l'Impression d'être branché sur son
voisin de cellule   l'Impression d'y être sans y être
jamais   être Libre   Libre de nous Taire à la vue
du Dehors Déchaîné   suffira de nous   Isoler
dans notre Résignation   meubler notre Caverne
avec de la tapisserie des Indes   nous faire croire
que nous serons seul à être seul   une race de pas
d'race dans un pays pas d'pays   qu'on nous tienne
par la main pour nous empêcher de trébucher sur les
ossements de nos pères

aimerai la diarrhée des anges   j'en
boufferai toute la semaine pour digérer l'Amertume du morne

en exigerai de pleines gamelles   jamais assez partout dans mon corps mes orifices mes pores de peau
que ça gicle s'Incruste svp oui merci   à l'affût des
moindres faits et gestes d'une nouvelle aristocratie
mise en place pour m'encourager à consommer chaque dérivé de chanteuses pleureuses animateurs gou-
rous talk-shows ou radio white neck   du marivau-
dage en direct de couples pulpeux toujours propres
et brillants comme des cadavres de Blainville passés
dans le carwash   ces pantins de la psycho pop à
l'esprit prostré devant leurs mécènes me mettront en
colère et ils auront réussi leur jeu   en parlerai au
lieu de parler d'autre chose

tribunes Libres Aseptisées   Ottawa
dans nos bras d'honneur   le chlore éditorial diluant le
dialecte

d'un océan à l'autre   beau cliché   Totalitaire
longue Souffrance au monarchisme britannique en
terre canadienne   ses symboles Racistes et Colo-
niaux   la Quiétude du mis de côté sera notre opium
notre canne à sucre   notre cannette de Coca-Cola
dans la jungle birmane   nous nous sentirons si peu
fiers d'être des copeaux de Défaite   un trophée de
chasse accroché sur le capot du char   belle Licorne
enchaînée   Confort tétanos   nous mordeurs de
poussières   malgré les bonbons à m'lasse et les pri-
vilèges hologrammes greffés à nos pupilles   nous
serons orignaux dépanachés   peu importera la sa-
veur dégueulasse de nos paroles opiniâtres   dépoé-
tisées   gobant chacun peu à peu la pilule de l'âge
d'or   nous jouirons du robinet tout en chiant dans
nos cours d'eau

j'irai me renseigner au chevet des Incen-
diés si le feu est bel et bien brûlant

au Dehors le mauvais temps me fera revenir en arrière de quelques décennies   de violents vents pro-
jetteront des gens en l'air   la boue dans la bouche
les poumons imbibés d'eau salée finiront par me dé-
courager   irai plutôt empoigner la main de nos
Maîtres Incontestables   leur caresser le rond crâne
me rendre compte qu'au fond ce sont de bonnes per-
sonnes de bons pères de famille et puis chacun a
droit à ses petits défauts   ses petites perversions si
l'erreur est humaine le Désastre lui sera plutôt Cé-
leste   une roche de poésie écrite loin de ma rogne
Infirme   une nation de pas d'pays   une culture
de pas d'culture tellement multiculturelle qu'en vien-
drai à me sentir Inculte

craindre le soufre des bouches à feu le ouï-
dire des tanks tyrans l'évasion des Capitaux   bankrupt et
spectre de déjà-vu

oublier sera l'Idéal   notre point de repère en cette
ère navrante sera de nous soûler magnifiques sous les
aurores statiques   consolés de loisirs et de sinistres
légendes hollywoodiennes   fuir en ville habiter
boîtes à pain à la merci du propriétaire Seigneur de
nos vies   vilains prolétaires jamais satisfaits ni même
épanouis   chanceux de ne pas crécher une autre
nuit sous l'Îlot Fleuri   loin de nos sac à mains la
routine des Guérillas   loin itou l'escalier Lépine et
cet éleveur de chiens de traîneau venu nous raconter
l'Amérique   là-haut à Kuujjuaq

le dégoût le plus total sera celui d'être
confortable   de ne plus y croire autrement qu'en s'abreu-
vant de vertige

attendrai naïvement que la Main magique du Système
vienne me masser entre les cuisses   toutes ces jour-
nées d'études où la faim défigure et rend maussade
m'endetterai auprès des Banques en espérant parler à
quelqu'un   partager mes Inquiétudes pour les cent
prochaines années   payerai naïvement mes dettes
en me disant qu'avoir une petite famille   de ce côté-
ci du monde   trop Idéaliste

Bombardements chirurgicaux Assom-
briront cités franches   stratégie des pipelines ou de la
Défense   l'Arnaque de la Liberté

armes d'émasculation psychique   si loin du fracas
d'Afghanistan qu'il ne nous viendra plus à l'esprit
que notre passeport est canadien   guerres Intesti-
nes et tirades conservatrices   dieu terroriste écus
ineffable voyou dieu vengeur   Allah superstar sus-
pect numéro un   prétexte en or   dieu complice
des Charognards et des Conquérants   franc pour-
fendeur du poète armé en quête de grandioserie
dieu dépourvu de Compassion pour les maudites popu-
lations Affamées Assoiffées Assujetties   nous suici-
daires tranquilles Affranchis de ta trinité   aurons
faussement souffert de tes foucades de subalterne
dieu tes cils aux cieux   silence d'Amour

fort tronc d'arbre rare Abattu et puis
poème dans la brume des villes noirâtres   de petites rides
se graveront d'elles-mêmes

reviendrai aussi solide qu'un poteau de téléphone
mes jambes goudron bien implantées dans le trottoir
et placardées d'annonces de fillettes disparues   me
plairai à m'imaginer léger l'épine d'un mélèze gi-
guant ruelle avril   me ferai attraper par l'enfant
mis au parfum des eaux stagnantes   mes yeux seront vides de remords   souhaiterai plus que tout
n'avoir rien à me reprocher   être blanc chevelure
janvier   disparaître au printemps venant   ne laisser aucune trace de sperme

*scandales Doutes Sponsorship   un réfé-
rendum démoniaque   I wanna stay a subject of The Queen
des millions Injectés dans nos sexes*

Peuple Brainwashed   1995   49, 41% des Québé-
cois toutes origines confondues voudront un nouveau
pays   quelque chose comme   un Grand pays pai-
sible en Amérique du Nord   la Défaite encore une
autre qui s'apparentera plutôt à un match NUL sans
arbitre ni spectateur lors d'une finale de la coupe
Stanley   Go Habs Go loin de la communauté Inter-
nationale   Go Habs Go   on dira à 2 308 360 êtres
humains de fermer docilement leurs gueules et la ma-
jorité d'entre eux le feront   ici   la fin de l'histoire
pour un grand nombre de chiens

*trop jeune pour pleurer   je serai trop
jeune donc Incapable de deviner le Déclin   l'Atterrissage
de force*

traumatisme post-référendaire   haine envers et
contre tout ce qui proviendra d'Icitte   musique ci-
néma cuisine histoire parlure   ceux qui réussiront
dans le business seront perçus comme des crosseurs
opportunistes   règne du rococo en poésie et priva-
tisation de nos services sociaux   où s'en furent les
poètes sans papiers   juste avant la fin des années 90
sur l'herbe d'après Grand Verglas de ma polyvalente
sur cette verdure naissante où nous ne pouvions pas
nous allonger de tout notre astre pour ne pas risquer
le goût de baiser en plein air   organiserai une manif pour que les filles de mon âge aient le droit de
porter des mini-jupes   et nous échouerons l'Inno-
cence

la prospérité de notre Unifolié poussié-
reux javellisé   nous tournerons les feuilles en grinçant des
dents

les patriotes de Napierville des meurtriers   les mar-
tyrs métis et acadiens des erreurs de parcours des
fous à lier   on nous répétera sans cesse que les
Français tueurs sanguinaires d'Amérindiens auront
fait les mêmes crimes au nord de l'Afrique pour mi-
nimiser le Désastre américain   au sujet du reste de
la Terre opprimée par l'Empire qui ne se couchera
jamais il faudra de bons yeux pour lire la note en bas
de page   on réécrira l'Histoire ou bien on ne voudra plus nous la raconter   car elle ne saura nous
endormir   du berceau à l'école au travail elle de-
viendra Taboue   de toute façon   les seuls crimes
contre l'humanité envers lesquels nous aurons un
Devoir de Mémoire   seront ceux qui auront JOUI
de la bénédiction médiatique

Seattle la Bataille et le feu et la poudre
je fumerai des gauloises en songeant à Doha Göteborg
Bruxelles et Québec

globe BBQ   Kananaskis Porto Alegre Johannesburg
Évian Davos Sacramento Séoul et Larzac   dans
l'énumération pure et simple des Combats il y aura
peut-être un poème maladroit aussi Valable que ces
milliers ces millions de voix qui chercheront l'écoute
tout pour mettre un pied devant l'autre   contre
l'Exclusion la Répression l'Abandon   malgré l'es-
couade anti-émeute mêlée à la foule au lecteur pour
foutre le trouble le Discrédit   eux des pères de jeunes militants travailleront bons robots ni oui ni non
pour les plus offrants la GRC la SQ le PLQ l'ALÉNA
l'OPEP le FMI la ZLÉA l'OMC le PCC le PLC le PDG du
coin le G6 le G7 le G8 ou le G9 le j'ai-les-coordonnées-
de-ta-famille l'AGCS la NRA la BM la GM la BIRD
l'AIEA l'OTAN l'ISAF les services militaires parallèles
alouette

l'hymne béluga au besoin coliformes
quelques simagrées think tanks   le 11 septembre Saint-
Laurent suant entre les côtes

complots larges disputés autour de la bûche   Noël
portraits pâles couleurs vives de violeurs de poupons
quelques crises financières   séismes en familles Dé-
cimées frileuses   si chanceux d'avoir des lectures
légères   nous écartelés entre des nations souffrant
d'Embargo accusées d'être pauvres   nous ne vou-
drons pas finir comme ça   Bombardés par Amour
faire belles figures de cire sous Soleil Inquisiteur
tout comme ceux-là qui   sans voix   crèveront de
ne pas être Occidentaux   ou pareil à nous   de
l'avoir trop été

.

oublier de résister
sera une douce délivrance

mais comment oublier
la cagoule de Carlo Giuliani 23 ans
étudiant italien 20 juillet 2001 à Gênes
lors d'une manif contre le G8
sera frappé au visage par une décharge
de balles en caoutchouc
et écrasé deux fois plutôt qu'une
sous la Jeep blindée des gendarmes

oublier
sera une douce délivrance

mais pourrons-nous oublier
ce fermier Lee Kyung-Hae
porte-parole des agriculteurs coréens
qui pour contester le « commerce libre »
à Cancún le 10 septembre 2003
se fera hara-kiri devant des millions
de téléspectateurs

douce délivrance

le cœur intact du bonze Thích Quảng Đức
qui le 11 juin 1963 à Saïgon
en signe de protestation contre la répression
anti-bouddhiste du président Diem
s'immolera sans émettre
le moindre son

sans émettre
le moindre son

l'origine de nos noms perdue dans le brouhaha d'une file indienne   l'usine pourvoyeuse d'une fin de semaine

deviner les pleurs les cancres qui crèveront de grippe aviaire de choléra d'hépatite alphabétique   une main-d'œuvre Désœuvrée   ils baiseront et pogneront l'herpès le SIDA métaphorique   ça fera du bien à l'âme   un peu de repos consanguin   être à l'aise dans sa peau de chagrin tannée   l'engagement limité aux choix d'aubaines offerts au dépanneur du coin   apprendre quelques mots de berbère de coréen nous permettra de nous sentir un peu plus humains

être ré-
volutionnaire bientôt signifiera avoir une famille de six en-
fants avec une femme qui en voudra seulement quatre

mes poings deviendront des fleurs voraces et aurai
autant d'enfants qu'il m'en faudra pour monter une
petite armée afin de péter la gueule à ceux qui me
traiteront de nataliste en me disant qu'il n'y a plus de
place sur Terre   en aurai au moins six et les nour-
rirai d'eau de rose de tartes aux pommes gelées et de
pains fourrés   après de longues méditations Cos-
miques avec l'Aurore au sommet du mont Saint-Gré-
goire   leur donnerai à chacune et chacun un prénom Nature   Vent du Nord pour aîné   Sourire
du Soleil le suivant   Neige Folle et Pluie Sauveuse
enfin Froid Ruisseau et Montagne Rousse   autour
d'eux   serai le plus heureux des dictateurs

l'ozone
aminci laissera l'Astre-dieu nous cracher ses poignards lu-
mineux

et pour le simple plaisir de jaser nous placoterons cel-
lulite smog sondages gélatine peuple pommes de
terre pourcentage Abominable bêtise horreur sacca-
ge   Bible fibres prédateurs sexuels pédérastes for-
mule un   cancer du sein du colon des lèvres de
l'utérus de la gorge des poumons du rectum de la
cervelle   les tuiles du plafond tumeur maligne ou
bénigne   anévrisme musclé minable   cœurs en
chômage sans aucune raison le vide sidéral des vedet-
tes   pendant ce temps   ces obus cirés brevetés
fabriqués au Canada encore tomberont ici et là toujours trop loin trop nombreux pour qu'on s'en
mouille le marasme   et la sainte météo camouflera
le malaise Insupportable qui grugera la paroi de nos
crânes

vigilance propreté des trous
de balles dans les murs
des cathédrales

nous chercherons le bonheur
un endroit pour dormir
caresser nos armes

le rayon souvenir
du printemps

fils matricides
pauvre Terre
en silence

(le beat des astres)

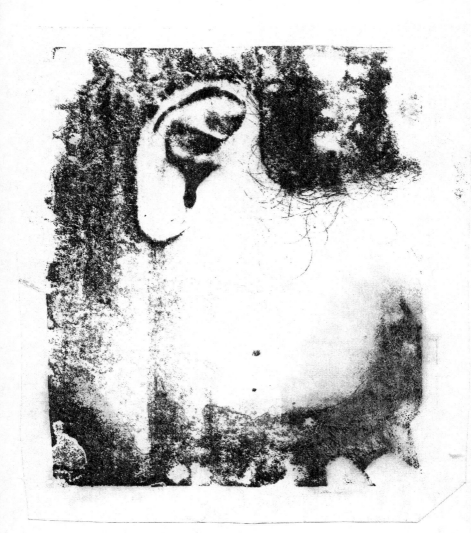

un sourire en écharpe sur un mal d'être incurable
qui lui donne cette beauté déchirée qui déchire
et rassure

PATRICK STRARAM

cœur vous Astre-Terre   enfant foire rebelle   bébés de chaumière barouettés Icitte et là   vous êtes nés dans la dèche beige d'un monde de malades Imaginaires   au premier pleurnichage ne pouvions rien pour vous   crispés vous faces rictus vous couleurs fauves entachant la ouate   il ne vous est pas resté grand-chose   Visa Internet boucane et béton rien de Riopelle ou de Lautréamont   tout ou presque fut exploité consumé pour le feutrage de nos cellules

vierge flamme vous fade nature morte Terre bouche d'égout   vous faisiez déjà pitié avant même de naître

avant le sommeil   vos sourires affreux petits pieds
gelés vérolés   ah quel cauchemar   ne vous ai
rien dit de mal et pourtant vous ne m'avez jamais laissé
tranquille   tirailleurs d'esprit prisonniers crâniens
spectres gigueurs vous au-dessus de mes épaules
votre Grande Bibliothèque pleine de Divertissements
regorgeait d'auteurs aux grosses moustaches qui se
sont Battus à corps nus contre les barrages des mou-
lins   pas pour moi svp encore une fois pardonnez-
moi   vous étiez si peu probables   orphelins ici-
bas walkyries dans la bouette de mes poèmes embou-
teillés

*je vous voyais pendus à votre cordon
ombilical sans songer une seule seconde que vous pourriez
survivre*

enfants nés vous soldats sous la carte du ciel   vous
avez rêvé à des tables en chêne garnies de gros gibiers
de fruits de crème   sold out   faim vous ventre
vide feu héritiers de famille fière   la journée longue à chercher l'ombre des hélicoptères   prisonniers politiques enculés des buveurs de sang hou-
blonné   l'esprit critique dans les talons   au bout
de vos langues pouvions lire les mots   ensemble
peut-être   vous ne parliez pas le langage des dieux
the language of gods   nous avons continué notre
petit train-train loin de vos fronts plissés   vos joyaux
ovales   avons continué tête basse fuyant nazes la
Désolation

          enfants vous maniant les fusils au lieu
des crayons

ai voulu vous envoyer la plus docile des chèvres par l'entremise de Vision Mondiale   mais ai su entre les branches que votre mère pratiquait encore l'Excision   ça m'a tsunamisé   avais des meutes de conscience qui me scindaient le crâne en deux   il aurait sans doute fallu qu'achète un char hybride l'harmonie la Nature faire la paix avec moi-même   construire une autoroute jusqu'au sommet de la montagne pour contempler de haut la Voie Lactée de vos grains de beauté   consommer sans m'en rendre compte la contre-culture d'un pays Libre   Libre d'Investir des billions de dollars dans l'Armement au grand dam de l'homme vulgaire

j'ai largué là missiles en papier jauni des morceaux vaporeux de nous-mêmes   tuer le temps sans vous

chiffres froids vous vies violentées   nous vous avons
tourné le dos au carrefour des Décharges d'Intérêts
statistiques trafiquées   calculs vous rénaux vauriens
voix vermines dans les vapes de la multitude   nul
n'a pu vous prendre dans ses bras   vous étiez trop
lourds à porter   nous vous avons lentement étripés
vos viscères longues guirlandes corde au cou   des
kilomètres des kilomètres   vous fils grenades filles
cellulaires   nos épaules de frileux vous ont laissé
tomber dans le blanc congère de nos vers

langue vous varlopée   Amour vous
feu vent de vivre   poches pleines de garnotte à garrocher

peu à l'Abri de mes souvenirs revanchards   me suis
aménagé une niche de luxe   dehors votre Appel aux
armes et la pluie d'octobre sur mes cheveux fins lé-
gers   saviez-vous à quel point la brume   vos Lamentations m'ont épouvanté   empreint d'opprobre de
n'avoir rien dit de vos humeurs à ces sondeurs Innocents faméliques   me suis trouvé par dépit par
amour un chiffon laineux pour me torcher le restant
de mes vieux jours

encore une fois novembre pardonnez-moi
je n'en ai jamais eu les moyens ou le Courage

frimas fardeau vous fardoche fou fantôme siècles à
venir   vous n'étiez pas une priorité ni même un en-
jeu électoral   argent sale argent   that's it jump
in the wagon   cerbères bavures gouvernail vous
plumes gamètes Insuffisants   votre nom n'a pas été
inscrit sur les listes d'or les griefs les protocoles de
réingénierie d'État   on a construit des banlieues
Anonymes et lancé des spoutniks autour des Wal-Mart
sans demander votre avis   ficelle souche arbre rare
jamais parlé de vous dans les soupers spaghetti
rien non plus sur vos dons farouches à nous faire sentir Coupables   par votre seule présence votre odeur
de corps foutu

vous bête brute grand cœur effoiré au
creux du Désastre   vous saviez à peine l'art ancestral de
ronger les os

la grandeur de mes Maîtres réduite à mon Agenouil-
lement devant la colonne Nelson   La Boétie star
d'un soir   moi satisfait dans le rôle du concierge
en me disant que vous feriez pareil   vous des fleurs
Amoureuses se dévorant entre elles   ai vomi un
long magma d'Amertume sur vos lèvres pétales
me suis ensuite replié sur moi-même   la fureur de
vivre sacrifiée sur l'hôtel des générations   elle ins-
tallée précieuse dans l'armoire à vaisselle anglaise
vous ne le saviez peut-être pas

*je vous ai comparés aux satellites balis-
tiques du crépuscule   trop aveuglé par la haine pour admettre que vous étiez de vraies étoiles*

vif hymen   pur écarlate à poil   vous rompu avant
même d'éclore   vous auriez eu envie de vous Ré-
volter contre tout ce que nous avons été   Renon-
ciation Insouciance Inertie   nous crisser une bonne
dégelée du tabarnak   varger sur nos crânes mous
avec des fémurs de caribou   cogner le Grand che-
lem et fermer nos gueules de vieux câlisses qui ne
voulaient rien entendre ni Avouer   virus nous vais-
seau Ivre Incapable de couler sans nous agripper à
vous   au moins vivre vers autrement   vers peu Importe vers   FEU   nous piétons amateurs de fan-
ges et de météores   volte-face nous Désespoir
toute Révolte ridicule   pur bourgeon nu vous poumons encrassés noir par le gaz des chars

rage au cœur vous bafoués   vos gestes
mollusque mis à l'index par la British Encyclopedia
vous   limace radieuse enlisée dans l'asile de nos coquerons

usines pâles fumée bleue vous fonte des pôles
ours blanc coincé sur l'Ellesmere   vous débousso-
lés au milieu des villes vergetures   à la rescousse
des fourrures foutaises de phoques à fringue   pendant qu'on brûlait la chevelure marine d'un pêcheur
poisseux   Thibodeau Savard Olivier et Laplante
      Tremblay Séguin Ouellet et Prud'homme
Gauthier O'Connell Roy et Bélanger   fini le temps
où nous taquinions les écrevisses   des milliers d'îles
ont disparu   peut-être étiez-vous l'une d'elles
marée noire vous épaulards échoués la dorsale à l'air
      combien d'aurores boréales auriez-vous souhaité
contempler avant le trépas   en avez-vous déjà aperçu
une

je ne suis pas né à la bonne époque ni
sous le bon néon   *je suis né pour un petit pain transgénique*

nature brute neige brune vous Refuges   vipère langue vous sédentaires bave pustule   méthane vous
Aversion répandu le long des ruisseaux   nous plas-
tiques et fabriques à cancer vous corps cobayes
nœud coulant grange parfaite   grandes lignées
d'Ignorés   patrimoine à l'Arraché   fils des champs
fille de rang vendus aux bienfaits de l'Exode   vous
buviez la salive de nos paroles Infectes   forts vous
fer pourpre dans la plaie   FEU   taïgas devenues
vide-ordures

flore mère Insoumise   Nature fruste
vous vierge comme un vase à vomissure

m'avez serré soudain en me disant que vous m'aimiez
et   Libre enfin   ai revu brume la rivière de mon
enfance et ses remous d'Espoir me crier au revoir
belles carcasses de poissons castor château d'écailles
dans la chaloupe juillet jaune m'avez serré si fort
qu'en ai eu des ecchymoses partout sur le corps   ai
revu mon père me lancer la balle sur un terrain de
baseball   ma mère assise dans les estrades en train
de hurler mon prénom anglais pour prouver aux
autres mères que c'était moi le meilleur

*m'avez fait revivre et n'ai su comment
vous remercier autrement qu'en baissant le regard*

où s'en fut la Soif quand vous en aviez besoin   vous
qui ne demandiez qu'un trou   mourir tranquille
un plancher   dormir drapé candide   de la force
encore pour toujours dans vos roses mains-d'œuvre
vigiles de l'entre chien et loup vous étiez Amour
contre Rancœur   Engagement d'Aurore contre
refus d'Agir   votre Vigilance Existentielle creusait
son puits dans l'Iris en nous rappelant la plainte des
outardes apatrides   les rues et ruelles envahies
pour défoncer l'Impasse   fougères vous craquiat
sauvage apparu par miracle sur le bord des viaducs

âme vous amochée bel et bien vivante
vous étiez la preuve que nous avions tout faux

aux hordes du hasard
engagés que vous étiez
sur la route des ruines

la nature a repris son souffle
comme la Terre étreint un fils
revenu d'un dur périple

l'a retenu un moment
s'imprégnant de chaque cellule
sulfuré d'espoir

(paupières lourdes)

*– Pourquoi donner la sécurité
à ce jeune homme qui dérange ?
– Pour le punir.*

FÉLIX LECLERC

restez calme   malgré les coups cap
d'acier dans les côtes la tempe   vous êtes si fatigué

remplissez vos formulaires de demande de bourse
soyez fier de mendier et dites-vous que vous le méri-
tez bien   vous en valez la peine   après tout   si
vous êtes un profiteur c'est parce qu'on profite de
vous   remboursez vos dettes d'Indocile votre mobi-
lier agencé à la couleur de vos yeux en colère
consolez-vous auprès des Démunis et continuez à
vous persuader la nuit avant de vous endormir qu'il y
a quelqu'un qui veut votre place   ce n'est pas de
votre faute si le monde va de mal en pis   collection-
nez vos reçus et gagnez votre vie car elle n'est plus à
vous   trop Dispendieuse

je sais la jeunesse qui s'enfuit avec le feu
un dimanche tempête   sortir du verbiage   la poésie ne
suffit pas

quand écrire rime avec Maudire ou Distraire   le
métro à l'heure de pointe   Mesdemoiselles Mesda-
mes Messieurs après l'Inquiétude qu'est-ce qu'il y a
tassé du revers de la main comme restant de peau sur
table d'opération   vous persistez repensez la ville
avec vos propres mots   Univers vous amour Vigilance arbre asphalte   votre quartier de Vie   vous
offrez des fleurs volées à celles qui passent Inaper-
çues et des tapes dans le dos à qui vous bousculent
citoyen de l'Espérance   vous menez le Combat beaucoup moins Contre ceux qui vous Affligent que Pour
ceux que vous Aimez

cerné rendez-vous Insomniaque sur le
champ de Mars   déposez vos armes   lancez-les devant
sans gestes brusques

tout ce que vous chantez est retenu contre vous
prenez conscience qu'il est préférable de fermer sa
gueule   il y a longtemps que je t'aime jamais je ne
t'oublierai   vaut mieux enfourcher le joual Aliéné
du Statu Quo que d'empoigner le taureau par les cor-
nes   ne Désobéissez jamais sans permis   compre-
nez qu'il n'y a aucune raison d'être en Désaccord
avec vos Maîtres   en cas de Doute   soyez heureux
de survivre   veuillez garder le silence comme une
bonbonne d'air dans une fosse septique

surveillé jour et nuit malmené par mes
humeurs nénufars   tous ces vers qui ne valent rien   je
déteste la gratuité mais elle est belle

tant de terroristes de malades détraqués prêts à vous
violer mort ou vif   restez calme au chaud dans vos
cellules Ajustées à vos besoins primaires   que cela
passe   chaque seconde toutes les semaines depuis
combien de décennies déjà   yes we can   · vous Arracher les mots de la bouche

soyez attentif   surtout restez calme
depuis combien de siècles au juste vous ne savez plus pour-
quoi ni comment   ici

ce cercueil américain   oubliez les rires critiques
l'odeur de sexe usé la bière où on vous maintient
planches de cèdre taillées sur mesure   concentrez-
vous   où sont vos Illusions   vous vous êtes rebellé
contre quoi   maintenant   Cloisonnement Écœu-
rement politique et populaire   poème compris
soyez fou quelques vers   nuisez au malaise ancestral   racontez vos Peuples dans des mots Courages
frontières trouvailles

je sais la foudre et l'arbre rare fendu au
cœur   *la courbure de l'horizon les essaims de libellules*

rien de vos chansons grivoises   ces histoires à me
faire dormir debout sur mes deux mains   vous co-
mète au passage des oies   l'œil sur un mouvement
de mauvaise herbe quand elle respire l'après-midi
vous n'avez rien à prouver aucun paradis de poète à
acheter   songe sans cesse à vous et mon nez arrête
de saigner   vous baume sur mes Astres

en entrant dans la cellule on vous
donne une chaise en babiche et une corde tressée de rêves
vous êtes libre   la porte claque

quelques secondes s'écoulent   la torture à pas de
tortue   vous maudissez déjà la Liberté et l'Imagi-
naire hurle derrière les mots   ça se contorsionne
onomatopées de pays Aliénés et allitérations Inson-
dables   pas la chance de vivre une seule Victoire
jusqu'où êtes-vous prêt à pousser l'Audace   nous
vous avons montré le sentier de l'Abandon dans une
forêt d'épinettes aspergée d'insecticides   pourquoi
la Confiance

je n'aime pas vous entendre pleurer
il n'y a pas plus pénible bruit que ce tumulte d'être au monde

lamentations derrière les Retranchements   ne suis
pas beau à voir   vieille écorce rongée dans la fai-
blesse des crépuscules   cure alcool de riz en terres
Hanguk   pour l'Amour de vous-même   repre-
nez vie   autrement que par des paroles en l'air devant la grille   des poèmes plus beaux que les autres
soyez fier de Résister   Défendez-vous à chaque
souffle   Ami pardonnez-moi   vous parle d'Urgence
sans Affolement   Battez-vous après tout   celui
qui n'a plus besoin de se Battre   ce n'est plus tout
à fait quelqu'un

couchez-vous sur le sol au creux des
pierres   le temps nu dans vos mains lâches   les écrits
s'envolent bien bas

Impossible de fermer l'œil malgré le cheap rock sur
vos paupières   vous riez du bout des lèvres   posi-
tion Soumission   un mille-pattes s'avance   s'ap-
proche sans se faire prier   vous le touchez avec la
langue vous riez encore   s'enfuit effrayé en sifflant
votre oreille tendue votre dernière chance   même
le plus hideux des insectes vous laisse tomber
coincé dans ce cachot de deux pieds par trois   vous
l'avez fait fuir   si seulement il avait le pardon facile
il vous jetterait un regard complice   saurait que
vous êtes vulnérable   attendrait une promesse
un coin chaud sous votre aisselle

je m'éventre m'évince de mon propre dis-
cours   à chaque souffle   ma langue brise carabinée sur
chaleur pâteuse

mains tordues et ventres veules   comment dormir
quand les Illusions sont appelées à Disparaître   des
siècles et des siècles   grasse grenouille la parole pa-
tauge   moisissures nocturnes Découragement et
cabanes à sucre   DJ poutine people boule flamboyante
la paresse vous tue à grand coup de feux de forêt dans
vos lendemains de papier   ne faites pas la même
erreur   Râler   Râler toujours Râler   ALLEZ
DEBOUT   pour la suite du siècle

vous avez droit à une cigarette un coup
de fil   vous téléphonez au Dalaï-Lama   une voix enre-
gistrée vous dit en anglais de laisser un message

vous raccrochez   quelques vies s'écoulent   vous
avez le sentiment de perdre votre temps qu'avant
d'être un humain Libre-service vous avez dû être vrai-
ment ignoble pour en être arrivé là   peut-être un
virus ou une cellule cancéreuse   on vous rend visite
vous apporte de bonnes nouvelles   au Dehors les
gens se Battent pour vous sortir de la Brèche   demain il va neiger

je ne demande rien   je veux tout
une Terre renouvelée   une maison sans corridors

et notre civilisation n'est qu'un pli sur la poche de
l'Existence   sortez de vos tanières taupes vous piètre
poutre en manque de Devenir   voyez l'Aube vous
soûler d'Espoir   perché au sommet des pignons
ami le plus radieux d'entre tous   je touche du bois
d'arbre rare   votre parlure vaut bien une minute
du patrimoine

regardez autour   meurent tranquille-
ment la canopée de l'arbre paupière les souvenirs   l'hiver
et votre grand-père

ce dernier dans la queue pour ses pilules   mal
chaussé sous un ciel terne   a refusé de prendre la
mini-vanne des libéraux   rien ne vous oblige à
ouvrir les yeux   l'Univers écrase vos longs cils   la
poussière du réel Assèche votre cornée   les jour-
nées sont longues   on l'a placé loin de votre cellule
vous n'avez pas de voiture   c'est contre votre reli-
gion   toutes les excuses sont bonnes vous êtes un
paresseux de la pire espèce de pas d'espèce   rien
ne va le sortir de son deux-et-demi mal chauffé
encore moins un poème maladroit ou une paire de
pantoufles tous les Noël   il se souvient pourtant de
vous petit et lumineux dans ses bras de fermier bien
qu'il n'ait aucun mot pour le dire

un trou noir dans le parapluie et trempé
jusqu'à l'âme je m'attarde parfois des heures à la vue d'un
empire de fourmis cherchant à sauver les meubles

vieil hymne au vent du Nord qui sculpte et boursou-
fle façade sombre des statues en les enmoussant
sanglot d'écolier Acharné entre pâtés de maisons aux
briques brunâtres   citoyens des tranchées creusées
par la crue des eaux   vous êtes la scie et la planche
à pain   revenez des battures avec vos trésors de
mots   trouvez-vous du papier une guitare   demain la lune s'empourpre

vous attendez un signe   *une tape sur*
l'épaule   *un oiseau meurtri sur votre perron*   *ça ne vient*
pas

vous cherchez une Issue à travers les grands titres de
journaux qu'on vous donne pour vous abriller
faire vos besoins de chien savant   vous ne comptez
plus les morts   Inutile vous êtes le prochain   on
annonce une Dépression   une haleine aussi douce
que des poignards mandchous   on vous glisse une
fleur bleue sous la porte   elle est morte   vous
tentez de la prendre elle pèse une tonne   on vous
nargue   vous la poussez du pied dans un coin de la
cellule   au Dehors la poudreuse s'Affole

je donne des noms de galaxies aux fissu-
res des murs   ça ne suffit pas à me Distraire   je connais
le blanc des plafonds

l'Empathie l'Altérité si souvent réduites au Sarcasme
pardonnez-moi   dors mal grâce à vous   chaque ré-
veil un calvaire magistral   vos spasmes m'atteignent
et sonnent l'Alarme   vous ne dites pas adieu adieu
est une Injure   l'Abandon de l'au revoir

*on vous laisse sortir   brisé plié feuille
de tôle   vous êtes dans la rue   il n'y a que des rues
encore des rues*

vous vous croyez seul   vous n'avez pas tort   où
sont les citoyens qui se sont démenés à vos côtés à la
sortie des bars où sont-ils maintenant que vous avez
besoin d'eux   vous non plus vous n'êtes plus là
pour personne   après l'Isolement la vie reprend
son territoire   vous mendiez d'une façon ou d'une
autre   rien à Atteindre sans cracher sur vos rêves
restez calme   à part votre mal au je et cette Impression que nous n'existons pas   le mal-être est sous
Contrôle   trouvez-vous un nouvel Abri un nouveau
Maître chez vous   mais surtout   ne pissez plus
dans la ruelle

l'outarde fracasse la fenêtre
se laisse choir à mes pieds

de la cendre des plumes
des voix se font attendre

sur les murs en béton armé
des marques de coups de poing
morceaux d'ongles arrachés
un vers écrit avec du sang

je n'existe pas sans nous

(dehors vous l'espoir)

dans un poème on peut ranger
tout l'avenir
qu'on voudrait faire exister

Serge Pey

faces vous des flopées ravagées par le frette et la valse
vulgaire des vagues vacarmes   vieilles valves vulves
ouvertes et poissons morts   vrille effluve vous volu-
tes à faire fuir les vendeurs de viande avariée   vous
césarienne nés otages du pétrole   vous serez fils
cyanure bâtard survivant de cyclones et d'ouragans
fille manucure putain plâtre de séismes et chutes
d'objets célestes   vous sortirez de vos lits aux re-
bords rugueux   vers nous dehors vous culs-terreux
nous sable fin cœur fier odieux   vous Défoncerez
les portes-patio de nos bungalows

               vous nous surprendrez à nous dévorer
entre nous   festin d'anges marins redevenus sauvages

vous vos mains écorchées d'étoiles   poussières
d'arbre arcane cheveux Inflammables   et moi
meurtri par le vain effort de vivre digne   vaseliné
jusqu'au menton   vous demanderai de me parler
de votre balcon par les temps qui courent à travers
les feuillages jaunâtres   ce petit jardin bio caché
quelque part dans votre crâne mercure   vous me
sourirez avec un malaise de vandale revenu du firma-
ment   me prendrez dans vos jeunes bras déjà sur-
chargés d'Univers pour me dire de ne pas m'en faire

*je comprendrai que je ne suis pas encore
mort   et vous savoir au monde me donnera des ailes de
mouette*

l'Indifférence ou l'Inquiétude   mort radieuse unique naissance   après l'Abstention qu'est-ce qu'il y aura   Aisance vassal l'Espoir le pain des Pauvres le sou noir jeté nonchalamment dans la claire fontaine il y a longtemps que je t'aime   la caisse d'épargne l'Ironie le Cynisme le code ISBN et la clé des festivals trifluviens   consolés devant l'Innombrable masse à vacher dans l'Impuissance des Lettres pour un retour de DPP   Compassion soudaine vous Vigilance à l'Acte au Dehors des mots

pauvres fous tête ou bitch nous trop humains Incapables de rompre le cycle de la Haine   aller vers les Autres le thorax ouvert

la poésie ne suffira plus   ou bien le poème sera la
Victoire d'un homme contre lui-même sur une île déserte menacée par la Fonte des pôles   ne serai jamais votre porte-parole de service votre doublure d'un
film comique qui criera crisse de tabarnak au lieu
d'un God damn it   ni votre bel exemple à suivre
surtout pas   il y aura tout de même des limites à se
prendre au sérieux   ai écrit de la poésie parce que
n'ai pas su comment m'Insurger me Battre au Dehors
sans saigner   des poèmes pour une nation de pas
d'pays   très peu pour ma conscience mon indice
personnelle de gaz à effet de serre   des poèmes qui
finalement n'en seront peut-être jamais

dans l'ombre du vin les muscles du bien-
être   le je reviendra   aucun devoir ni moral ni besoin
en harmonie ou en désastre   accompagné d'une amie ou
d'une étoile

dénoncer la Noirceur restera vain   faudra brûler
du dedans jusqu'au dehors   feu le français l'arbre
rare   rien ne servira d'engueuler le vendeur de
pizza la vieille pute transsexuelle ou les témoins téteux
qui auront gardé le silence dans leur caleçon cyberné-
tique   ça ira trop vite   et vous Agirez d'une manière ou d'une autre   maintenant   arme vous
cœur droit au poing   vous répondrez   JE T'AIME
pousserez l'Audace jusqu'à dire   JE T'AIME ET JE
CROIS EN NOUS   vieil enfant fou furieux de ne
pas pouvoir Aimer assez   vous maudirez vos ancê-
tres à cause du monde saboté dans lequel ils vous
auront lâché   vous n'aurez pas tort

mode de vie Incurable en même temps
Impardonnable *peu importe nos excuses* *peu importe*
nos excuses

sinueuse l'Amérique la route française   vos naufra-
ges me feront rêver au détour des fossés lointains
des enfants-loups tenteront de voler vos souliers avant
de vous planter des chalumeaux dans le dos   ces
bonnes gens vous traiteront de populiste en vous hur-
lant des monosyllabes pour que vous retourniez là
d'où vous venez   c'est-à-dire au dedans du fin fond
de votre mère   vous me raconterez la Bravoure de
celui qui persiste et signe en choisissant de meilleurs
mots que les miens   avare de vos Conquêtes
vous me tendrez la main quand la marche sera trop
haute   nous nous faufilerons ensuite jusqu'au dernier étage d'un building ministériel pour contempler
l'Ampleur du smog

         et nos différences de langage je les regar-
derai s'échouer sur les terrasses   belles boursoufles de ba-
leines rejetées par la mer

scaphandre vous sur le point de fendre sous la pres-
sion   vous chercherez la chandelle rassurante des
tribunes libres la raison ultime de vous jeter en bas de
la scène   vous trouverez parmi les bouteilles vides
des décombres de royaumes désaffectés   fiefs fu-
mants Abandonnés aux marchands de rimes glorieu-
ses   vos cités d'élus séniles saccagées   vous en
viendrez à ne plus savoir quoi Taire pour acheter un
trou auprès des juges   un coin au ras du feu   la
Douleur dans les mots le mal-être Invendable   gla-
cier Alarme avalée un champignon d'aurore   vos
pires fantômes vivront accrochés à la chair comme
des hyènes à la charogne

vos voyages spectaculaires   cœur vous
portez vers la Différence   vous appellerez au calme
l'éclair sous la langue

matin-mitraille en bandoulière   vous aurez de gros soupirs d'hiver clément   à me voir dormir avec les yeux ouverts d'un vieux joual   allongé de tout mon Astre sur un banc crotté du métro   vous vous arrêterez à mes côtés pour doucement me réveiller après quelques lunes et marées hautes   vous me demanderez l'heure une direction n'importe quoi et serai le plus heureux des hommes sans Avenir Immédiat de vous avouer   IL NE SERA JAMAIS TROP TARD

avant de repartir avec les cris de l'engoulevent   vous me donnerez un poème   un poème chiqué avide

tronc fort poussé à travers la clôture de fer   rires
innocents cours d'école   deux paumes sales ouvertes   vous patenterez le monde avec les bouts de fer-
raille qu'on vous aura légués   de nouvelles forêts
viendront reconquérir les terres couleur rouille
vous saurez alors que les fruits tombés porteront la
marque de nos Débâcles   sans Débouché   Ivre
d'Espoir vous vivrez pour la Décharge électrique des
corps en faisant l'Amour à votre femme à votre homme
malgré le parfum molotov et le manque de vitamine
au Dehors le goût de Vivre et de dire JE T'AIME
feu vous relief d'hier maintenant massif d'Aujour-
d'hui   nous devinerons le sourire en coin derrière
votre masques à gaz

vous ferez de belles rencontres et le ha-
sard n'y sera pour rien   le monde ne sera plus jamais petit
c'est vous qui serez Grand

assis en Algonquin sur le pont des trains   un V de
bernaches l'aurore juin   aurai plongé dans le Ri-
chelieu juste avant qu'il ne devienne muqueuse de
vipère malade   il m'aura lentement bercé jusqu'à
vous   et tout ce qui sera derrière   le souvenir de
mes parents   ces géants soumis de la routine gran-
diose   mon Amie l'Aube embrasée m'insufflant le
Courage de continuer   c'en vaudra la peine   eux
et la coupole taillée dans l'Espoir éther au-dessus de
leurs yeux

*vous me cueillerez petit bonheur   et je
me ferai petit tendre et soumis je vous le jure*

Icitte ou   respirer le territoire sous la cendre les grands miroirs du ciel   de soi vers l'Autre un mouvement du bassin en passant par la cité et ses détours de peaux captifs   vous lèverez le poing la caboche en l'air pour voir enfin les poussières que nous sommes   vous l'ivraie ravageuse l'avoine perdue à côté du rang   un vieil arbre rare tiendra le coup   vous aurez oublié son nom   planté là des siècles auparavant par la main des vents ou feu vous voulant un peu d'ombre sous les lustres ardents   un point de repère   un pays pas d'paysans dans la tempête folle respirer

Icitte ou   un pied en avant
la levure des peuples   corps vous feu nature Irréversible
vous l'Espoir encore l'Espoir   quoi d'autre

la rivière avait raison
le silence
ça n'existe pas

Table

Marquis imprimeur inc.

Québec, Canada
2012

Cet ouvrage composé en New Baskerville corps 11 a été achevé d'imprimer au Québec
en janvier deux mille douze sur papier Enviro 100 % recyclé
sur les presses de Marquis Imprimeur Inc. pour le compte des Éditions de l'Hexagone.